Saxophone을 위한

Solo
Unison
Ensemble

성가 · 클래식 편

이왕제(Leewangjae) 편저

책머리에

색소폰 연주를 Solo(혼자), Unison(여럿이 같은 음), Ensemble(여럿이 다른 음)로 연주할 수 있도록 성가곡 · 민요 · 클래식 악곡 중심으로 선곡하여 이 책을 내놓게 되었습니다.

색소폰 연주곡은 대중음악 중심의 책이 많은데 이 책이 성가곡, 클래식 악곡 연주를 즐겨하는 색소폰 연주자, 색소폰 동호회, 색소폰 앙상블, 교회 색소폰 찬양단의 연주자료로 활용되기를 기대합니다.

이 책을 만들 수 있는 동기와 가르침을 주신 고 나운영 박사님을 추모하며 존경의 마음으로 감사드립니다.

2024년 7월

이 왕 제

Saxophone을 위한 Solo Unison Ensemble 목록표

	번호	곡 명
Solo	1-1	5음에 의한 Elegy(이왕제) - Saxophone
	1-2	Agnus Dei 하나님의 어린양(비제) - Alto Sax.
	1-2	Agnus Dei 하나님의 어린양(비제) - Soprano Sax.
	1-3	Ave Maria(슈배르트) - Saxophone
	1-4	Carmen서곡(비제) - Saxophone
	1-5	Caro mio ben 오! 내사랑(죠르다니) - Saxophone
	1-6	Core' ngrato 무정한 마음(칼디로) - Saxophone
	1-7	Danny Boy 아! 목동아(아일랜드 민요) - Saxophone
	1-8	Ich Liebe Dich 그대를 사랑해(베토벤) - Saxophone
	1-9	Gold and Silver Walts 금과 은 왈츠(레하르) - Saxophone
	1-10	L`Arlesienne Suite No.2 중에서 미뉴에트(비제) - Saxophone
	1-11	Preghiera 기도(토스티) - Alto Sax.
	1-11	Preghiera 기도(토스티) - Soprano(Tenor) Sax.
	1-12	Solvejgs Song 솔베이지의 노래(그리그) - Saxophone
	1-13	The Swan 백조(생상스) - Saxophone
	1-14	Traumerei 꿈(슈만) - Saxophone
	1-15	청호(이왕제) - Saxophone
	1-16	The Lost Chord 잃어버린 화현(설리번) - Saxophone
	1-17	Una furtiva lagrima 남 몰래 흐르는 눈물(도니제티) - Alto Sax.
	1-17	Una furtiva lagrima 남 몰래 흐르는 눈물(도니제티) - Soprano Sax.
Unison	2-1	Ave Maria(바흐 - 구노) - Saxophone
	2-2	By Gentle Powers 선한 능력으로(피엣츠) - Saxophone
	2-3	Deutsche Messe(D.872) 기쁨이 넘쳐 뛸 때(슈베르트) - Saxophone
	2-4	Die Ehre Gottes aus der Natur 신의 영광(베토벤) - Saxophone
	2-5	Eine kleine Nachtmusik 2악장(모짜르트) - Saxophone
	2-6	Lascia Chio Pianga 울게하소(헨델) - Saxophone
	2-7	March Trio medley 행진곡 트리오 접속곡(이왕제 편) - Alto Sax.
	2-7	March Trio medley 행진곡 트리오 접속곡(이왕제 편) - Tenor Sax.
	2-8	Nessun Dorma 공주는 잠 못 이루고(푸치니) - Saxophone
	2-9	O Mio Babbino Caro 오 사랑하는 나의 아버지(푸치니) -Saxophone
	2-10	O sole mio 오! 나의 태양(카푸아) - Saxophone
	2-11	Plaisir D`amour 사랑의 기쁨(마르티니) - Saxophone
	2-12	Silver threads among the Gold 은발(미국 민요) - Saxophone
	2-13	The Pilgrim`s Chorus 순례의 합창(바그너) - Alto Sax.
	2-13	The Pilgrim`s Chorus 순례의 합창(바그너) - Tenor Sax.
	2-14	The Rose of Tralee 트랄리의 장미(아일랜드 민요) - Saxophone

	번호	곡 명
Unison	2-15	Trumpet Voluntary (클라크) - Saxophone
	2-16	Torna a surriento 돌아오라 쏘렌토로(쿠르티스) - Saxophone
	2-17	닐리리야 · 천안 삼거리 · 태평가(이왕제 편) - Alto Sax.
	2-17	닐리리야 · 천안 삼거리 · 태평가(이왕제 편) - Tenor Sax.
	2-18	울산 아가씨 · 도라지 · 아리랑(이왕제 편) - Alto Sax.
	2-18	울산 아가씨 · 도라지 · 아리랑(이왕제 편) - Tenor Sax.
Ensemble	3-1	Day by Day 날마다 숨 쉬는 순간마다(안펠트) - Saxophone
	3-2	Don Giovanni(2중주) 우리 함께 손을 잡고(모짜르트) - Saxophone
	3-3	Panis angelicus 생명의 양식(프랑크) - Saxophone
	3-4	Swing Low, Sweet Chariot(흑인 영가) - Saxophone
	3-5	Alleluja 할렐루야(모짜르트. 헨델) - Alto Sax.1
	3-5	Alleluja 할렐루야(모짜르트. 헨델) - Alto Sax.2
	3-5	Alleluja 할렐루야(모짜르트. 헨델) - Baritone Sax.
	3-5	Alleluja 할렐루야(모짜르트. 헨델) - Soprano Sax.
	3-5	Alleluja 할렐루야(모짜르트. 헨델) - Tenor Sax.1
	3-5	Alleluja 할렐루야(모짜르트. 헨델) - Tenor Sax.2
	3-5	Alleluja 할렐루야(모짜르트. 헨델) - Score
	3-6	Ave Verum Corpus 기원(모짜르트) - Alto Sax.1
	3-6	Ave Verum Corpus 기원(모짜르트) - Alto Sax.2
	3-6	Ave Verum Corpus 기원(모짜르트) - Soprano Sax.
	3-6	Ave Verum Corpus 기원(모짜르트) - Tenor Sax.1
	3-6	Ave Verum Corpus 기원(모짜르트) - Tenor Sax.2
	3-6	Ave Verum Corpus 기원(모짜르트) - Score
	3-7	Choir of the Hebrew Slaves 히브리 노예들의 합창(베르디) - Score
	3-7	Choir of the Hebrew Slaves 히브리 노예들의 합창(베르디) - Alto Sax.1
	3-7	Choir of the Hebrew Slaves 히브리 노예들의 합창(베르디) - Alto Sax.2
	3-7	Choir of the Hebrew Slaves 히브리 노예들의 합창(베르디) - Soprano Sax.
	3-7	Choir of the Hebrew Slaves 히브리 노예들의 합창(베르디) - Tenor Sax.1
	3-7	Choir of the Hebrew Slaves 히브리 노예들의 합창(베르디) - Tenor Sax.2
	3-8	Sarabande HWV437(헨델) - Alto Sax.1
	3-8	Sarabande HWV437(헨델) - Alto Sax.2
	3-8	Sarabande HWV437(헨델) - Soprano Sax.
	3-8	Sarabande HWV437(헨델) - Tenor Sax.1
	3-8	Sarabande HWV437(헨델) - Tenor Sax.2
	3-8	Sarabande HWV437(헨델) - Score

이 책의 활용법

1. Solo 곡은 자신이 선호하는 음색이나 악기의 음역(소프라노, 알토, 테너, 바리톤 색소폰)에 맞는 악기로 연주하면 된다.

   Solo 곡을 같은 조의 악기로 여럿이 함께 연주하면 Unison 음악이 된다.

2. Unison 곡을 여럿이 함께 연주할 때는 정해진 악기의 악보로 연주한다.

   혼자 연주할 때는 자신이 선호하는 음색이나 연주하기에 알맞은 음역의 악기, 악보를 선택하여 연주하면 Solo 음악이 된다.

3. Ensemble 곡을 연주할 때는 화음의 밸런스를 고려하여 파트를 나누고 정해진 파트의 악보를 연주하면 된다.

   앙상블의 리더는 Score 악보를 참고하면 되고 자유롭게 표현, 연주할 수 있도록 악상기호는 최소화하였다.

   바리톤 색소폰의 악보가 없는 곡은 알토 색소폰 악보로 연주하면 되고, **소프라노, 테너 색소폰** 악보는 **B flat 조** 클라리넷, 트럼펫과 함께 연주해도 된다.

   소프라노 색소폰, 바리톤 색소폰이 없으면 알토 색소폰과 테너 색소폰만으로 연주하면 된다.

4. **특히 주의할 것은** Unison, Ensemble 곡을 연주할 때 개인의 기교나 연주력을 과시하려 악보의 음에 첨삭하지 말고 정확한 리듬, 음정, 통일된 음색, 화음의 밸런스 등을 리더에 맞춰 연주하여야 한다.

1-1. 5음에 의한 Elegy

무반주 무언가

작곡 이왕제

1-2. Agnus Dei(하나님의 어린양)

G. Bizet

1-2. Agnus Dei(하나님의 어린양)

1-3. Ave Maria

Franz Schubert

아 베 마 리 아   성   모

여 방 황 하 는 이 내   마 음 주 님 앞 에 꿇 어 앉

아 기 도 하 오 니 들 어 주   옵 소

서 이 세 상 짐 벗 어 버 리 고 고 이 잠   들 도

록 고 통 을 덜 어 주 옵 소 서 두

손 모 아 비 나 이 다   아 베 마 리   아

1-4. Carmen(서곡)

G.Bizet(이왕제 편)

1-5. Caro mio ben(오 ! 내사랑)

G. Giordani

1-6. Core' ngrato(무정한 마음)

S. Cadillo

1-7. Danny Boy(아! 목동아)

Irish folk song 이왕제 편

1-8. Ich Liebe Dich(그대를 사랑해)

L. v. Beethoven

1-9 Gold and Silver Walts

Franz Lehar. 이왕제 편

1-10. L`Arlesienne Suite No.2 중에서 미뉴엣

Georges Bizet

1-11. Preghiera(기 도)

F. P. Tosti

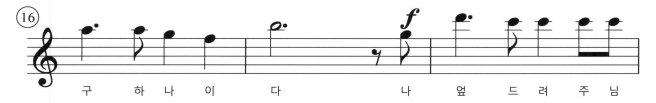

1-11. Preghiera(기 도)

F. P. Tosti

1-12. Solvejgs Song(솔베이지의 노래)

Edvard Grieg

1-13. The Swan(백조)

Saint Saens

1-14. Traumerei(꿈)

R. Schumann

1-15. 청 호

1-16. The Lost Chord(잃어버린 화현)

1-17. Una furtiva lagrima(남 몰래 흐르는 눈물)

Gaetano Donizetti

1-17. Una furtiva lagrima(남 몰래 흐르는 눈물)

Gaetano Donizetti

2-1. Ave Maria

J. S.Bach - C. Gounod

되 시 나 이 다 싼 타 마 리 아 싼 타 마

리 아 마 리 아 이 제 와 영 원 히 저 희죽을

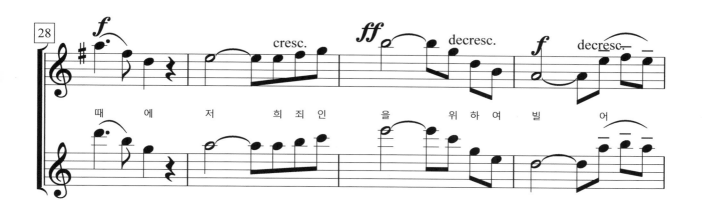

때 에 저 희죄인 을 위 하 여 빌 어

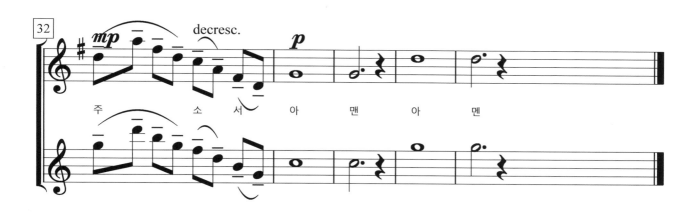

주 소 서 아 맨 아 멘

2-2. By Gentle Powers 선한 능력으로

D. Bonhoeffer / S. Fietz

2-3. Deutsche Messe(D.872) 기쁨이 넘쳐 뛸 때

2-4. Die Ehre Gottes aus der Natur 신의 영광

L.V. Beethoven(1770-1827)

2-5. Eine kleine Nachtmusik 2악장

W. A. Mozart 이왕제 편

D.C. al Fine

2-6. Lascia Chio Pianga(울게하소서)

G. F. Handel

2-7. March Trio medley(행진곡 트리오 접속곡)

이왕제 편

Hands Across the Sea March

Under the Double Eagle March

2-7. March Trio medley(행진곡 트리오 접속곡)

이왕제 편

Hands Across the Sea March

Under the Double Eagle March

2-8. Nessun Dorma(공주는 잠 못 이루고)

Giacomo Puccini

2-9. O Mio Babbino Caro 오 사랑하는 나의 아버지

G. Puccini

2-10. O sole mio(오! 나의 태양)

E. di Capua

오 맑은 햇빛 너 참 아름 답 다

폭 풍 우 지 난 후 너 더 욱 찬 란 해 시 원 한

바 람 솔 솔 불 어 올 때 하 늘 의 밝 은 해 는

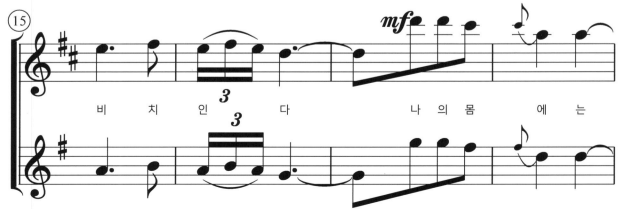

비 치 인 다 나 의 몸 에 는

2-11. Plaisir D`amour 사랑의 기쁨

G. Martini

사 랑 의 기 쁨 은 어

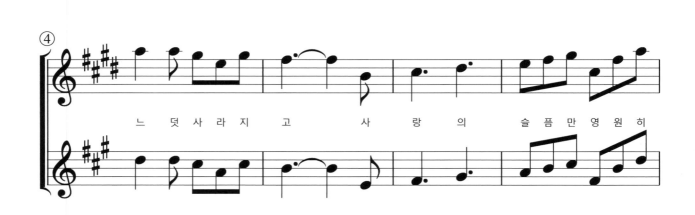

느 덧 사 라 지 고 사 랑 의 슬 픔 만 영 원 히

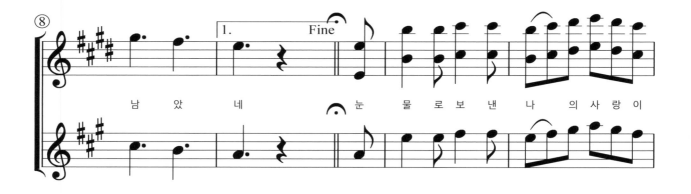

남 았 네 눈 물 로 보 낸 나 의 사 랑 이

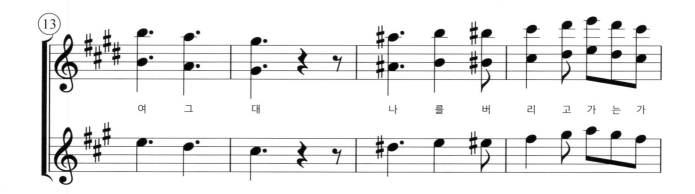

여 그 대 나 를 버 리 고 가 는 가

2-12. Silver threads among the Gold 은발

American Folk Song

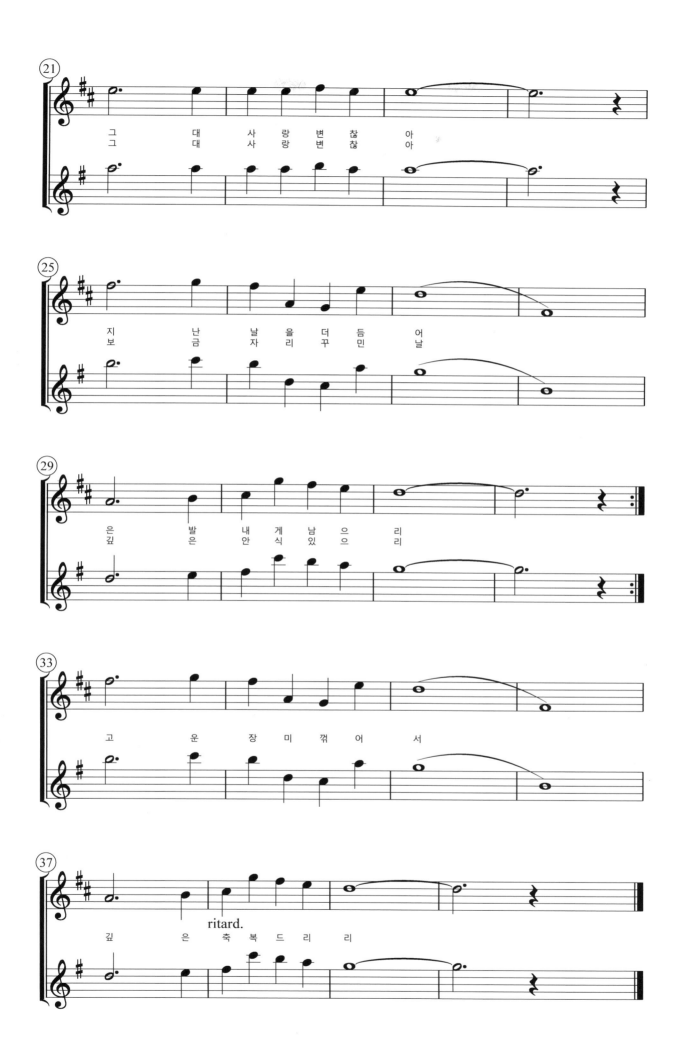

2-13. The Pilgrim`s Chorus 순례의 합창

Richard Wagner.

2-13. The Pilgrim`s Chorus순례의 합창

Richard Wagner.

2-14. The Rose of Tralee 트랄리의 장미

Irish folk song 이왕제 편

2-15. Trumpet Voluntary

J. Clarke 이왕제 편

2-16. Torna a surriento 돌아오라 쏘렌토로

E. de Curtis

아 름 다 운 저 바 다 와   그 리 운 그 빛 난

햇 빛   내 맘 속 에 잠 시 라 도   떠 날 때 가 없 도

다   향 기 로 운 꽃 만 발 한   아 름 다 운 동 산

에 서   내 게 준 그 귀 한 언 약   어 이 하 여 잊 을

2-17. 닐리리야 천안 삼거리 태평가

한국민요(이왕제 편)

2-17. 닐리리야 천안 삼거리 태평가

한국민요(이왕제 편)

2-18. 울산 아가씨 도라지 아리랑

한국민요(이왕제편)

2-18. 울산 아가씨 도라지 아리랑

세마치 장단

한국민요(이왕제편)

3-1. Day by Day 날마다 숨 쉬는 순간마다

Sandell Berg. Osacar Ahnfelt Arr.Leewangjae

3-2. Duet for Don Giovanni and Zerlina 우리 함께 손을 잡고

W. A. Mozart (1787)

3-3. Panis angelicus 생명의 양식

Cesar Franck (1822-1890)

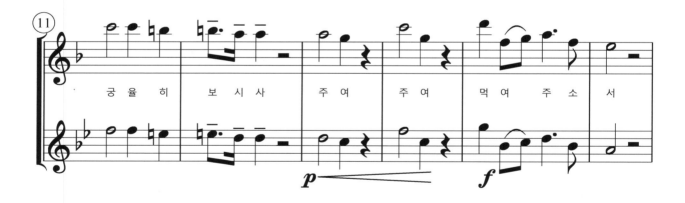

3-4. Swing Low, Sweet Chariot

American negro spiritual Arr. Leewangjae

영적 감성에 따라 자유로운 악상과 빠르기로

Swing   low,   sweet   char - i - ot

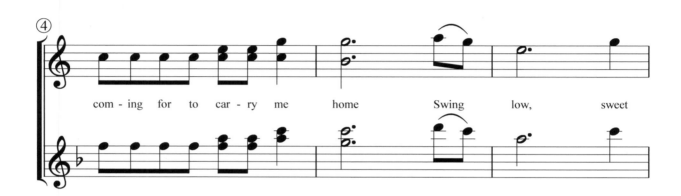

com - ing for to car - ry me   home   Swing   low,   sweet

char - i - ot   com - ing for to car - ry me   home   I

looked o - ver Jor - dan, and   what do I   see   com - ing for to car - ry me

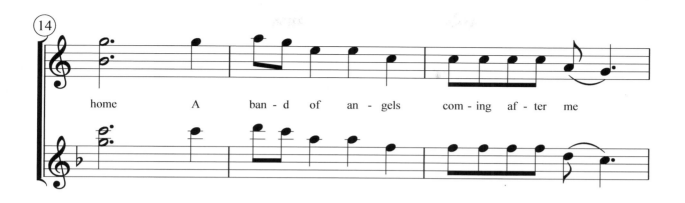

home A ban-d of an-gels com-ing af-ter me

com-ing for to car-ry me home Swing low, sweet

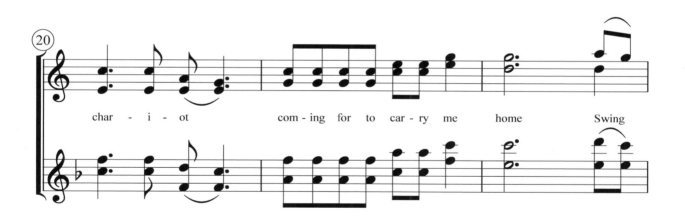

char - i - ot com-ing for to car-ry me home Swing

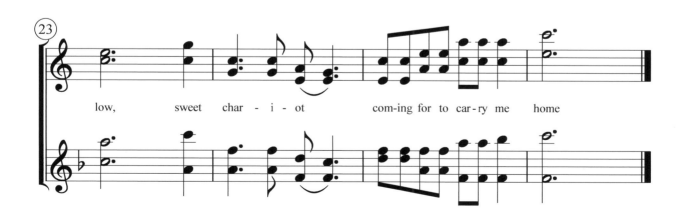

low, sweet char - i - ot com-ing for to car-ry me home

3-5. Alleluja 할렐루야

Mozart, Handel Arr. Leewangjae

3-5. Alleluja 할렐루야

3-5. Alleluja 할렐루야

3-5. Alleluja 할렐루야

Mozart, Handel Arr. Leewangjae

3-5. Alleluja 할렐루야

Allegro

Mozart, Handel Arr. Leewangjae

Tenor Sax.1

3-5. Alleluja 할렐루야

Allegro

Mozart, Handel Arr. Leewangjae

3-5. Alleluja 할렐루야

Score

Mozart, Handel Arr. Leewangjae

3-6. Ave Verum Corpus(기원)

W. A. Mozart Arr. Leewangjae

3-6. Ave Verum Corpus(기원)

W. A. Mozart Arr. Leewangjae

3-6. Ave Verum Corpus(기원)

W. A. Mozart Arr. Leewangjae

3-6. Ave Verum Corpus(기원)

W. A. Mozart Arr. Leewangjae

3-6. Ave Verum Corpus(기원)

W. A. Mozart Arr. Leewangjae

3-6. Ave Verum Corpus(기원)

Score

W. A. Mozart Arr. Leewangjae

3-7. Choir of the Hebrew Slaves(히브리 노예들의 합창)

Score

Giuseppe Verdi. Arr.Leewangjae

하 고 시 온 성 무 너 진 탑 을 보 라 오 내

조 국 빼 앗 긴 내 조 국 내 마 음 속 에 사 무 치

네 운 명 의 여 신 의 하 프 소 리 그 리

3-7. Choir of the Hebrew Slaves(히브리 노예들의 합창)

Giuseppe Verdi. Arr.Leewangjae

3-7. Choir of the Hebrew Slaves(히브리 노예들의 합창)

3-7. Choir of the Hebrew Slaves(히브리 노예들의 합창)

Giuseppe Verdi. Arr.Leewangjae

3-7. Choir of the Hebrew Slaves(히브리 노예들의 합창)

Giuseppe Verdi. Arr.Leewangjae

3-7. Choir of the Hebrew Slaves(히브리 노예들의 합창)

3-8. Sarabande (HWV437)헨델

G. F. Handel Arr. Leewangjae

3-8. Sarabande (HWV437)헨델

G. F. Handel Arr. Leewangjae

3-8. Sarabande (HWV437)헨델

G. F. Handel Arr. Leewangjae

3-8. Sarabande (HWV437)헨델

G. F. Handel Arr. Leewangjae

3-8. Sarabande (HWV437)헨델

G. F. Handel Arr. Leewangjae

3-8. Sarabande (HWV437)헨델

Score

G. F. Handel Arr. Leewangjae

이왕제

* 1955년 충남 강경
* 목원대학교 음악대학원(음악석사)
* 클라리넷 전공(이규형 · 김정수 · 임현식 교수 사사)
* 논문 : 브람스 클라리넷 5중주 연주법적 고찰
          (지도교수 : 나운영 박사)
* 클라리넷 독주회 3회
* 서울윈드오케스트라 협연(지휘:서현석 교수)
* 저서
  ·소프라노 리코더 교본(1999년-예당음악출판사)
  ·색소폰 연주곡집(이왕제 색소폰·클라리넷 클래식연주법연구회)
  ·찬송가 조에 맞춘 색소폰 앙상블 100 선곡집 BOOK1 (2024년-부크크)
  ·찬송가 조에 맞춘 색소폰 앙상블 100 선곡집 BOOK2 (2024년-부크크)
  ·Saxophone을 위한 Solo. Unison. Ensemble 성가곡·클래식 편 (2024년-부크크)
  ·찬송가 조에 맞춘 Cello 2부 100 선곡집 BOOK1 (2024년-부크크)
  ·찬송가 조에 맞춘 Cello 2부 100 선곡집 BOOK2 (2024년-부크크)
* 동국대학교 전산원(DUICA)수료(컴퓨터 2정교사)
* 수도방위사령부군악대 병장(사령관 공로상 수상)
* (전)대전대신중 · 대성고등학교 콘서트밴드 지도교사
* (전)서울은광여자중고등학교 콘서트밴드 지도교사(청와대 연주)
* (전)홍익대학교사대부속여자중고등학교 오케스트라 지도교사
        (서울특별시교육감 공로상 수상 · 교육과학부장관 공로상 수상)
* (전)대한예수교장로회총회신학교(합동) 교회음악과 교수
* (전)강남교회 성가대 지휘자(김성광 목사-강남금식기도원 원장)
* (전)서울한가람교회 · 분당한울교회 성가대 지휘자(김근수 목사)
* (전)청원윈드오케스트라 지휘자
        한국관악협회(KBA) 고 박종완회장 추모음악회 지휘
* (현)이왕제 색소폰·클라리넷 클래식연주법연구회(과천시1단지종합상가203호)
* (현)별내색소폰오케스트라 지휘자

도서명 : Saxophone을 위한 Solo Unison Ensemble 성가 클래식 편

발   행 | 2024년 7월 12일
저   자 | 이왕제
펴낸이 | 한건희
펴낸곳 | 주식회사 부크크
출판사등록 | 2014.07.15.(제2014-16호)
주   소 | 서울특별시 금천구 가산디지털1로 119 SK트윈타워 A동 305호
전   화 | 1670-8316
이메일 | info@bookk.co.kr

ISBN | 979-11-410-9487-4

www.bookk.co.kr